Voedsel en Feesten

EEN VLEUGJE WEST-AFRIKA

Alison Brownlie

Novib
Lid van Oxfam International

In deze serie is ook in het Nederlands verschenen:

Voedsel en Feesten
EEN VLEUGJE CARIBEN

Foto op de voorpagina: een meisje draagt mango's op een markt in Burkina Faso.

Foto op de titelpagina: vrouwen in Benin, Nigeria, bespelen muziekinstrumenten.

Foto op de inhoudspagina: vrouw frituurt yams in Nigeria.

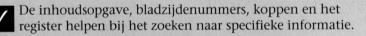

Dit boek stimuleert kinderen om te lezen en hun leesvaardigheid te verbeteren.

✓ De inhoudsopgave, bladzijdenummers, koppen en het register helpen bij het zoeken naar specifieke informatie.

✓ De woordenlijst verbetert de alfabetische kennis en vergroot de woordenschat.

 ✓ Het overzicht achterin geeft suggesties voor opdrachten.

© Nederlandstalige uitgave 2000 Koninklijk Instituut voor de Tropen – Amsterdam / Novib – 's Gravenhage

Koninklijk Instituut voor de Tropen
Mauritskade 63, Postbus 95001
1090 HA Amsterdam
tel. 020-5688 272
fax 020-5688 286
e-mail kitpress@kit.nl
website http://www.kit.nl

Oorspronkelijke titel: *A flavour of West Africa* (Food and Festivals)
© 1998 Wayland Publishers, Engeland
Projectcoördinator: Polly Goodman
Vertaling: Anna Maria Doppenberg
Productie en redactie Nederlandstalige uitgave: TextCase, Groningen
Opmaak: Erik Richèl
Lay-out: Mark Whitchurch
Fotoresearch: Shelley Noronha

ISBN 90 6832 885 9

10 9 8 7 6 5 4 3 2 1

Dit boek is tot stand gekomen in nauwe samenwerking met CPS Onderwijsontwikkeling en Advies in het kader van het leesbevorderingsproject De Leespiramide. Financiële steun is verleend door het Prins Bernhard Fonds en de Nationale Commissie voor internationale samenwerking en Duurzame Ontwikkeling (NCDO). De Leespiramide verschijnt in 2000 in het kader van het 25-jarig jubileum van *samsam* en is een leesbevorderingsproject voor de groepen 7 en 8 van de basisschool. Het doel is leerlingen te stimuleren thuis boeken te lezen, waardoor ze lezen ontdekken als een vorm van vrijetijdsbesteding.

INHOUD

West-Afrika en wat men eet

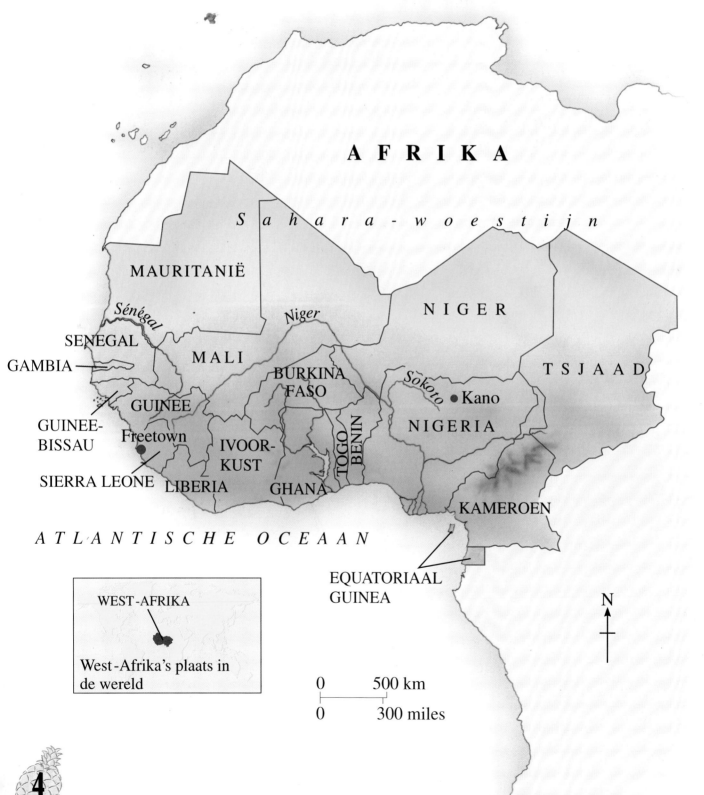

A F R I K A

S a h a r a - w o e s t ij n

MAURITANIË

N I G E R

Sénégal

Niger

SENEGAL

GAMBIA

MALI

T S J A A D

BURKINA
FASO

Sokoto

GUINEE

● Kano

GUINEE-
BISSAU

Freetown

NIGERIA

IVOOR-
KUST

TOGO

BENIN

SIERRA LEONE

LIBERIA

GHANA

A T L A N T I S C H E   O C E A A N

KAMEROEN

EQUATORIAAL
GUINEA

WEST-AFRIKA

West-Afrika's plaats in
de wereld

N

| 0 | 500 km |
| 0 | 300 miles |

Gierst en maïs

Gierst en maïs zijn graansoorten, net als rijst. Granen zijn een belangrijke voedselsoort voor de mensen in West-Afrika.

Vis

Vissen en andere waterdieren vormen een bron van eiwitten voor de mensen die vlak bij de kust of een rivier wonen.

Yams en cassave

Verder eten de mensen in West-Afrika veel yams en cassave. Dit zijn knolgewassen: ze groeien onder de grond.

Pinda's

Pinda's, ook wel aardnoten genoemd, zijn eigenlijk een soort bonen. Ze zijn een belangrijke voedselsoort in het droge noorden.

Koeien, schapen, geiten

Deze dieren worden vooral gehouden om ze te melken. De boeren in het noorden lopen met hun kuddes rond en verkopen de dieren vanwege hun vlees.

Fruit

Vruchten, zoals mango's, kokosnoten, ananassen en bananen, groeien op plantages en ook in het wild.

Voedsel en gewassen

West-Afrika beslaat een groot deel van Afrika en bestaat uit zeventien landen met bijna 200 miljoen mensen. In West-Afrika zie je veel verschillende landschappen. In het zuiden, langs de kust, is het het hele jaar door heet en regent het veel. Hier vind je dichtbegroeide regenwouden. Verder naar het noorden is het droger en zie je grasvlakten en woestijnen. Het soort voedsel dat in West-Afrika groeit, heeft alles te maken met het klimaat.

▼ Twee nomaden melken een dromedaris in het droge Mauritanië.

Gierst, maïs en rijst

Gierst en maïs zijn belangrijke voedselsoorten in West-Afrika. Gierst groeit het beste in de droge noordelijke gebieden van West-Afrika. Maïs heeft meer water nodig dan gierst en groeit daarom zuidelijker. Zowel maïs als gierst wordt tot meel vermalen om pap en koekjes van te maken. Rijst groeit alleen in het natte zuiden en dicht bij rivieren.

▼ Deze vrouwen in Mali wannen gierst (het graan scheiden van de halmen).

Yams, cassave en pinda's

De belangrijkste groenten van West-Afrika zijn yams, cassave en pinda's. Yams en cassave zijn knolgewassen, net als aardappelen. Deze dikke, witte wortels worden geschild of geraspt voor ze worden gekookt. Soms stampen de mensen yams tot *fufu*, dat lijkt op aardappelpuree. Cassave moet je goed koken, omdat het giftig is als je het rauw eet.

Pinda's groeien het beste in het droge noorden. De Portugezen namen ze vijfhonderd jaar geleden mee vanuit Zuid-Amerika.

OOGSTFEESTEN

Overal in West-Afrika organiseren de mensen feesten om de oogst van het belangrijkste voedsel uit hun gebied te vieren. Guinee en Sierra Leone hebben een rijstfeest. In dorpen bij zee vieren de mensen feest om de visvangst te vieren. Het bekendste oogstfeest in West-Afrika is het yam-feest, dat in de meeste landen wordt gevierd.

Deze jongen is cassave ▶ aan het raspen in Ghana.

◀ Dit meisje in Ghana past op de geiten van haar familie.

Kippen, geiten en koeien

De meeste West-Afrikaanse boeren houden een paar geiten of kippen. Geiten en koeien hebben de mensen vooral om te melken. Kippen worden gehouden voor hun vlees en eieren.

Vrouwen maken ▶ pinda's schoon in Senegal. Pinda's groeien onder de grond, dus moeten ze eerst schoongemaakt worden voor je ze kunt eten of bereiden in olie.

VISFEESTEN

Het levendige visfeest van Argungu vindt elk jaar plaats in de Sokoto-rivier in Nigeria. De mannen doen een wedstrijd wie de grootste vis kan vangen. Ze gebruiken daarvoor kalebassen en netten. De winnaars krijgen een prijs, meestal geld.

▲ Mensen die behoren tot het volk van de Hausa's doen mee aan het Argungu-visfeest in Nigeria.

Vis

Vis en zeevruchten zijn een belangrijke voedselbron voor de mensen die aan de kust wonen of vlak bij een rivier, zoals de Senegal of de Niger. Hierin zitten eiwitten, die ervoor zorgen dat je lichaam groeit. Vaak wordt vis boven een vuurtje gerookt, zodat hij langer bewaard kan worden. Vis is nogal duur, daarom eten veel mensen alleen bij speciale gelegenheden vis.

Mensen en geloof

In West-Afrika vind je veel verschillende mensen, met eigen talen, godsdiensten en tradities. Dit komt doordat al honderden jaren lang mensen vanuit andere gebieden naar West-Afrika zijn gekomen en hun godsdiensten en gewoonten hebben mee-genomen. Vandaag de dag vind je ze terug in het eten en de feesten van West-Afrika.

Veel mensen in West-Afrika, vooral in het noorden en westen, zijn moslims. Ze leven volgens het geloof van de islam. In Senegal en Gambia is negentig procent van de mensen moslim.

▼ Deze wachters in Noord-Nigeria zijn moslims. Ze werken voor de emir, die daar de baas is.

Ramadan en Id-ul-Fitr

De Ramadan is het heiligste ritueel van de islam. Elk jaar eten en drinken de meeste moslims een maand lang niets tussen het opkomen en ondergaan van de zon (vasten). Ze doen dit omdat dit voorgeschreven staat in hun heilige boek, de Koran, en ook om niet te vergeten dat al het eten van Allah komt.

Het is best wel moeilijk om een hele maand lang te vasten. Maar kinderen die jonger zijn dan twaalf jaar, zwangere vrouwen en zieke en oude mensen hoeven niet te vasten.

▼ Mensen in Kameroen bidden tot Allah aan het einde van de ramadan.

Id-ul-Fitr

Op de kalender van de moslims beginnen en eindigen de maanden niet op een vaste datum. In plaats daarvan begint de nieuwe maand als de nieuwe maan verschijnt. Als de imam (de godsdienstige leider van een plaats of gebied) de nieuwe maan ontdekt aan het einde van de Ramadan, dan kan het Id-ul-Fitr-feest beginnen.

Het feest begint met het slaan op een trommel. Iedereen trekt zijn mooiste kleren aan en gaat naar de moskee om te bidden. De mensen zitten tijdens het bidden op bidkleedjes of tapijten.

VERBODEN VOEDSEL

In het heilige boek van de moslims, de Koran, wordt bepaald voedsel verboden, zoals varkensvlees.

▼ Deze mannen in Nigeria slaan op verschillende soorten trommels.

13

▲Straatoptocht aan het begin van Id-ul-Fitr, in de stad Kano, Nigeria.

Optochten en cadeaus

Tijdens het Id-ul-Fitr-feest worden optochten gehouden. In het noorden van Nigeria is er een grote kleurrijke optocht die sallah heet. Een grote massa mensen trekt door de straten naar het paleis van de emir. Mannen op paarden stormen vooruit om de emir te begroeten.

Belangrijk bij het Id-ul-Fitr-feest is het geven van geschenken aan de armen. Ook gaan de mensen op bezoek bij vrienden en geven snoepjes cadeau. 's Nachts gaan de mensen gewoon door met eten, drinken en dansen.

Tobaski (Id-ul-Adha)

Het Tobaski-feest, of Id-ul-Adha, is een ander belangrijk feest voor moslims in West-Afrika. De mensen denken dan terug aan het moment dat Allah Abraham op de proef stelde en hem vroeg om zijn eigen zoon te offeren. Op het laatste moment hield hij Abraham tegen. In plaats van zijn zoon offerde Abraham toen een schaap.

Tijdens Tobaski vieren de mensen op een speciale manier feest. Het hoofd van het gezin slacht een geit of een schaap, die tijdens de maaltijd wordt opgegeten. Het vlees kan worden klaargemaakt in een pindasaus of met groenten zoals aubergines of cassave.

▲ Hapjes die worden klaargemaakt voor visite tijdens bijzondere gelegenheden in Gambia: vispasteitjes, donuts en popcorn.

Deze man heeft op een ▶ markt in Gambia een geit gekocht voor het Tobaski-feest.

▲ De mensen in Gambia
zijn dol op kippen-*yassa*.

Id in Gambia

In Gambia vieren de moslims Id-ul-Fitr met het lunchgerecht *nyankantango,* wat 'tien soorten eten' betekent. Het bestaat onder andere uit gerookte vis, rijst, bonen van de johannes-broodboom, pinda's en palmolie. Ook houden de mensen erg van kippen-*yassa*, kip in citroensap. Op de volgende bladzijde staat het recept. De mensen drinken ook graag *ngalakh*, een zoet drankje van gierst, pinda's en fruit.

16

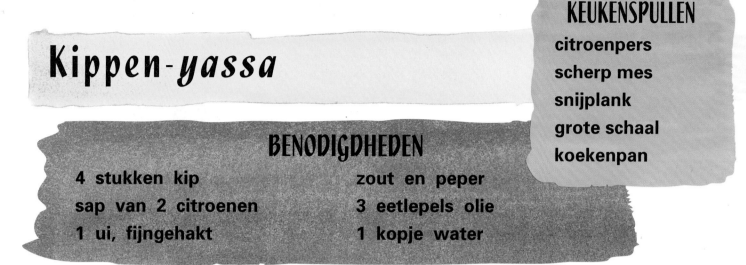

Kippen-yassa

KEUKENSPULLEN

citroenpers

scherp mes

snijplank

grote schaal

koekenpan

BENODIGDHEDEN

4 stukken kip

sap van 2 citroenen

1 ui, fijngehakt

zout en peper

3 eetlepels olie

1 kopje water

1 Giet het citroensap over de stukken kip. Strooi de stukjes ui erover en voeg de olie toe. Zet de kip in de koelkast.

2 Laat de kip ten minste 2 uur in de koelkast staan. Haal de stukken kip uit de saus en vraag een volwassene om ze onder de grill bruin te laten worden.

3 Haal de stukjes ui uit de saus met een zeef en fruit ze in de koekenpan. Voeg de saus toe en laat alles 5 minuten koken.

4 Voeg de kip, een kopje water en zout en peper toe. Doe de deksel op de pan en laat alles 45 minuten zachtjes koken.

Wees voorzichtig met messen en hete pannen. Vraag een volwassene om te helpen.

Pasen in Sierra Leone

Veel mensen in West-Afrika, vooral in het zuiden, zijn christenen. Het christelijke geloof is door de Europeanen meegebracht naar West-Afrika.

Pasen is een christelijk feest. De mensen vieren dat Jezus is opgestaan uit de dood nadat hij aan het kruis was gestorven. In Nigeria, Ghana en Sierra Leone heeft iedereen vrij met Pasen. In Freetown, de hoofdstad van Sierra Leone, wordt Pasen uitgebreid gevierd. Families gaan dan bij elkaar op bezoek.

▼ Mensen verlaten met Pasen een kerk in Ghana.

Goede Vrijdag

Na de kerk op Goede Vrijdag maken de kinderen een levensgrote lappenpop van oude spullen. De pop stelt Judas, die Jezus heeft verraden, voor. Later wordt de pop kapotgemaakt om te laten zien dat Judas is gestraft.

JEZUS GEDENKEN

Christenen eten geen vlees op Goede Vrijdag, omdat op deze dag Jezus Christus werd gekruisigd. Geen vlees eten is een manier voor christenen om op Goede Vrijdag Jezus te gedenken.

Op Goede Vrijdag eten de mensen geen vlees, maar meestal gerechten met vis. De hoofdmaaltijd van de dag wordt *olele* genoemd. Dit gerecht wordt gemaakt van zwarteogenbonen, vis, peper en uien en wordt gegeten met zoete aardappelen en bakbananen (plantain). Verder eten de mensen graag vispepersoep. Op bladzijde 20 staat het recept.

Deze hete ▶ vispepersoep wordt vaak op Goede Vrijdag gegeten.

Fish Pepper Soup

BENODIGDHEDEN

500 gram witte vis zonder graat, in stukjes

4 kopjes water

2 tomaten

1 ui, geschild

4 takjes peterselie

2 pepers, in stukjes

2 theelepels zout

1 theelepel gedroogde tijm

Vraag een volwassene om de Spaanse pepers te snijden. Het doet heel zeer als je die in je ogen of in een wondje krijgt.

Spoel de vis schoon en doe hem samen met het water in de pan.

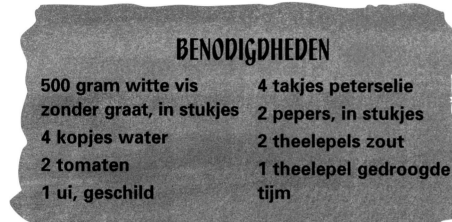

Snijd de tomaten, ui en peterselie in kleine stukjes en voeg ze samen met de stukjes peper toe aan de vis.

Voeg zout en tijm toe en roer alles door elkaar.

Breng de soep aan de kook en laat alles 20 minuten zachtjes koken.

Wees voorzichtig met hete pannen en messen. Vraag een volwassene om te helpen.

20

Tweede paasdag

Tweede paasdag is een feestdag in Sierra Leone. Het is 'picknickdag' en mensen vullen een mand met voedsel, pakken hun vlieger en gaan naar het strand. In de mand stoppen ze lekkernijen die te duur zijn om elke dag te eten, zoals kip, krab, snapper of barracuda. De laatste vissen worden gevangen in de zee bij Freetown en de mensen zijn er dol op.

Op het strand vermaken de mensen zich met vliegeren, picknicken en barbecuen. Er lopen kinderen over het strand om pinda's en fruit, zoals mango's en ananassen, te verkopen.

PAASDAGEN

Goede Vrijdag:	de dag waarop Jezus werd gekruisigd.
Eerste paasdag:	de dag waarop Jezus uit de dood is opgestaan.
Tweede paasdag:	in de meeste christelijke landen is tweede paasdag een vrije dag.

▼ Op het strand van Gambia verkopen kinderen hapjes aan toeristen.

Naamgevingsceremoniën

Van Nigeria tot Senegal vieren de mensen het geven van een naam aan een baby met een speciale ceremonie. Meestal gebeurt dit als de baby een week oud is. De mensen eten dan het lekkerste voedsel dat ze kunnen kopen.

▼ Het hoofd van een baby is ingesmeerd met kokosnoot tijdens een naamgevingsceremonie in Gambia.

Vrienden, familie en belangrijke mensen uit het dorp komen samen. Iedereen fluistert een wens in het oor van de baby, bijvoorbeeld 'leef lang' of 'wees gelukkig'.

Speciaal voedsel

De Yoruba's, een volk uit het zuidwesten van Nigeria, eten bepaald voedsel dat verwijst naar bepaalde wensen voor de baby. Ze geven schalen met verschillende etenswaren door en iedereen neemt een hapje. Ze eten honing zodat het leven van de baby zoet zal zijn, palmolie zodat zijn of haar leven gesmeerd zal verlopen en zout zodat het leven boeiend en smakelijk zal zijn.

DE VIJFDE VERJAARDAG

In sommige landen, zoals Nigeria, wordt de vijfde verjaardag van een kind uitbundig gevierd. Dit doet men omdat veel kinderen al vóór hun vijfde verjaardag overlijden aan een ziekte. Als een kind deze leeftijd haalt, dan wordt dat gezien als een enorme prestatie.

▼ Een mand met palmpitten (links) en olie die ervan wordt gemaakt (rechts) in Sierra Leone.

23

Feest!

Moslims vieren feest zodra de baby een naam heeft gekregen. De mensen eten dan geitenvlees. Eerst wordt een stukje aan de oudste man gegeven om hem respect te tonen. Gestampte yam met okrasoep, rijst met peper, of bakbananen zijn gerechten die tijdens naamgevingsceremoniën veel worden gegeten. Op de volgende bladzijde vind je een recept voor gebakken bakbananen.

▲ Bakbananen worden geroosterd boven hete houtskool in Ghana.

GEWICHT IN GOUD

Soms wordt in Gambia het hoofd van de baby kaalgeschoren. Het haar wordt gewogen en hetzelfde gewicht in goud wordt aan de arme mensen gegeven.

Deze baby behoort tot het ▶ Wodaabe-volk in Niger.

Gebakken bakbananen

BENODIGDHEDEN

4 grote (bak)bananen
50 gram bruine suiker
1 theelepel kaneel
50 gram boter of margarine

KEUKENSPULLEN

koekenpan   pollepel
snijplank   spatel
mes

Schil de (bak)bananen en snijd ze in de lengte doormidden.

Smelt de boter in de pan. Voeg de suiker toe en de helft van de kaneel. Kook dit tot de suiker is opgelost. Blijf intussen roeren.

Doe de (bak)bananen in de koekenpan, schep het suikermengsel eroverheen en bak ze 1 minuut.

Gebruik een spatel om de (bak)bananen op borden te scheppen. Strooi de rest van de kaneel eroverheen.

Wees voorzichtig met bakken. Vraag een volwassene om je te helpen.

Yamfeesten

▼ De zaden van yams worden in heuveltjes geplant, zodat ze goed kunnen groeien. De hoopjes aarde houden de zaden koel en de regen kan erlangs naar beneden stromen.

Omdat yam zo'n belangrijke voedselsoort is, wordt iedereen die goed is in het verbouwen, gezien als een belangrijk persoon. Yam-feesten worden in Nigeria, Ghana en Sierra Leone gehouden in augustus, omdat dan de nieuwe yams geoogst worden. De periode vóór de oogsttijd wordt de 'hongerige maanden' genoemd. De mensen in de stad gaan dan naar hun geboortedorp om het yamfeest te vieren.

Oogst

Op de dag van het yamfeest staan in alle dorpen de vrouwen heel vroeg op en gaan naar het veld om de yams te oogsten. Ze halen ze uit de grond met een schoffel en wrijven het zand eraf. Daarna houden ze een kleine ceremonie op het land.

Deze Nigeriaanse vrouw ▶ frituurt yams. Gefrituurde yams worden *dunduns* genoemd.

27

De ceremonie

De meeste mensen in Afrika geloven dat hun voorouders erg belangrijk zijn. Als ze dus een goede yamoogst hebben, dan danken ze hun voorouders tijdens het yamfeest. Ze leggen nieuwe yams op een soort tafel en bedanken hun voorouders met korte spreuken en gezang.

Hierna wordt er een kind uitgekozen dat de nieuwe yams naar huis mag dragen. Vervolgens haast iedereen zich naar huis om de verse yams klaar te maken, samen met andere favoriete gerechten, zoals fruitsalades.

De mensen zingen traditionele dankliederen en gaan op bezoek bij hun vrienden. Tot diep in de nacht wordt er gedanst en gefeest.

HET YAMFEEST IN HET BUITENLAND

Veel Nigerianen die in andere landen wonen, vieren graag het yamfeest met een maaltijd voor vrienden. Ze gebruiken yams om gestampte yam (*fufu*) te maken.

Tijdens het yamfeest ▶ eten de mensen lekkere fruitsalades, zoals deze.

Fruitsalade

KEUKENSPULLEN

scherp mes
snijplank
grote schaal
kannetje
pollepel

BENODIGDHEDEN

4 rijpe mango's
4 bananen
1 grote tomaat
½ ananas, in blokjes gesneden

sap van 1 limoen
1 kopje water
1 kopje suiker
1 kopje geschaafde kokosnoot

1 Was en schil de mango's en snijd ze in stukjes. Schil de bananen en snijd ze in plakjes.

2 Snijd de tomaat doormidden, verwijder de zaadjes en snijd de tomaat in blokjes. Meng de tomaat met het fruit in een grote schaal.

3 Meng in een kannetje het limoensap met het water en de suiker tot een sausje. Goed roeren.

4 Giet het sausje over het fruit. Dek de schaal af en zet hem minimaal een uur in de koelkast. Strooi de geschaafde kokosnoot erover.

Wees heel voorzichtig met messen. Vraag een volwassene om je te helpen.

Woordenlijst

Allah De god van de moslims.

Ceremonie Een feest of plechtigheid met vaste regels.

Emir Islamitische vorst

Gekruisigd Gedood aan een kruis, als straf.

Graan De kleine harde zaadjes van verschillende grassoorten, die de mensen kunnen koken en eten.

Imam Godsdienstige leider van moslims.

Kalebassen De gedroogde en uitgeholde schillen van pompoenen, die je kunt gebruiken om iets in te bewaren.

Nomaden Mensen die met hun vee van de ene naar de andere plek gaan op zoek naar voedsel en water.

Okra Een soort groente met lange, groene peulen.

Oogst Het verzamelen van graan, fruit en groente als ze rijp zijn.

Plantages Heel grote boerderijen.

Plantain Bakbanaan. Een tropische fruitsoort die veel lijkt op een banaan, maar minder zoet is.

Ramadan De vastentijd van de moslims, die elk jaar terugkeert.

Regenwouden Dichtbegroeide bossen in de tropen, waar een heet en erg vochtig klimaat heerst.

Vasten Een tijd lang niets eten, meestal vanwege een geloof.

Voorouders Familieleden die lang geleden zijn overleden.

Wannen Het graan van de rest van de plant scheiden door het in de lucht te gooien. De wind blaast de halmen weg en het zwaardere graan valt in een mand.

Dankbetuiging

De auteur dankt de volgende personen en bedrijven voor hun advies, steun en informatie: Lucy Faemata Davies, Ivan Scott, Fenella White, Morounke Williams, Sam Woodhouse en de Marborough Brandt Group.

Verantwoording foto's en illustraties

De uitgevers danken de volgende personen en bedrijven voor hun bijdrage in de vorm van foto's: Axiom *titelpagina*/James H. Morris, 21/Steve J. Benbow, 22/James Morris; Antony Blake *inhoudspagina*, 27; Chapel Studios/Zul Mukhida 16, 19, 28; Robert Estall 24 (onder)/Carol Beckwith; Eye Ubiquitous 5 (links midden)/Tim Durham, 8/Tim Durham; Hutchison 12, 18/Timothy Beddow; Impact 11/Giles Morley; Christine Osborne 14, 23; Panos *omslag*/Ron Giling, 5 (linksboven)/Betty Press, 5 (linksonder)/Liba Taylor, 5 (rechts midden)/Jeremy Hartley, 5 (rechtsonder)/Ron Giling, 7/Betty Press, 9 (boven)/Liba Taylor, 9 (onder)/Jeremy Hartley, 10/Marcus Rose, 13/Marcus Rose, 26/Bruce Paton; Peter Sanders 6; Trip 24 (onder)/B. Seed; Wayland Picture Library 5 (rechtsboven), 15/James Morris. Illustraties van vruchten en groenten: Tina Barber. Kaart op bladzijde 4: Hardlines. Illustraties bij stap-voor-stap recepten: Judy Stevens.

Verdere informatie

WISKUNDE

Gewichten en maten gebruiken en begrijpen (recepten).

Breuken gebruiken en begrijpen.

Meetinstrumenten gebruiken en aflezen (weegschaal).

NATUURWETENSCHAPPEN

Voedsel en voeding.

Gezondheid.

Planten in diverse habitats.

Mengen en oplossen van stoffen.

Stoffen veranderen door verhitting.

AARDRIJKSKUNDE

Studie van landen van West-Afrika.

Weer.

Landbouw.

Landschappen vergelijken.

Invloed van landschap op activiteiten van de mens: landbouw en oogstfeesten.

Migraties.

VORMGEVING EN TECHNOLOGIE

Ontwerp een reclameposter voor een voedingsproduct.

Technologie van de voedingsindustrie.

Verpakkingen.

Voedsel & Feesten West-Afrika

GODSDIENST

Festivals

Islam

Christendom

Afrikaanse godsdiensten

NEDERLANDS

Bedenk een reclameslogan voor een voedingsproduct.

Schrijf een gedicht of verhaal met voeding/eten als onderwerp.

Stel een menu samen dat je in een West-Afrikaans restaurant zou kunnen aantreffen.

GESCHIEDENIS

Kolonialisme en migraties naar West-Afrika.

Het Koninklijk Instituut voor de Tropen

Heel veel informatie over landen uit andere werelddelen kun je vinden in het Koninklijk Instituut voor de Tropen in Amsterdam. Het adres van het KIT vind je voorin dit boek. Het KIT organiseert veel tentoonstellingen en meestal zijn er zelfs tentoonstellingen apart voor kinderen. Soms staat in zo'n tentoonstelling een bepaald land centraal, soms gaat het over een thema, bijvoorbeeld muziek. In het KIT zijn ook restaurants, waar je hapjes en drankjes (als je wilt een complete maaltijd!) uit verre, exotische landen kunt krijgen. Het KIT heeft e-mail en een website en is dus via het Internet voor iedereen bereikbaar.

Register

Een **vetgedrukte** bladzijdenummer betekent dat er een foto op de bladzijde staat.